D1681828

LE TÉLÉPHONE

Collection dirigée par Etienne Delessert
© 1984 Editions Grasset & Fasquelle, Paris – Editions 24 Heures, Lausanne.
Tous droits réservés pour tous pays y compris l'U.R.S.S.
ISBN 2-246-33121-8 N° d'édition 37-1013-4
Dépôt légal septembre 1984. Loi 49.956 du 16.7.1949
Imprimé en Italie par la Editoriale Libraria, Trieste.

LOU

Le Téléphone

Texte de
Nathalie Nath

Illustrations de
Monique Félix

GRASSET·MONSIEUR CHAT

Lou était un petit lapin très heureux. Il avait à la maison tout ce qu'il faut: une grande chambre pour lui tout seul, une bicyclette avec deux petites roues à l'arrière, pour ne pas tomber, un nounours et une casquette rouge. Et surtout un papa et une maman qui l'aimaient beaucoup.

Pourtant, Lou avait un grand ennemi dans sa maison. Ce n'était pas un vilain monstre, mais une petite machine qui avait le pouvoir de transformer ses parents: le Téléphone.

DRING! DRING! et subitement ses gentils parents devenaient bizarres, comme si une méchante fée les avait touchés de sa baguette magique.

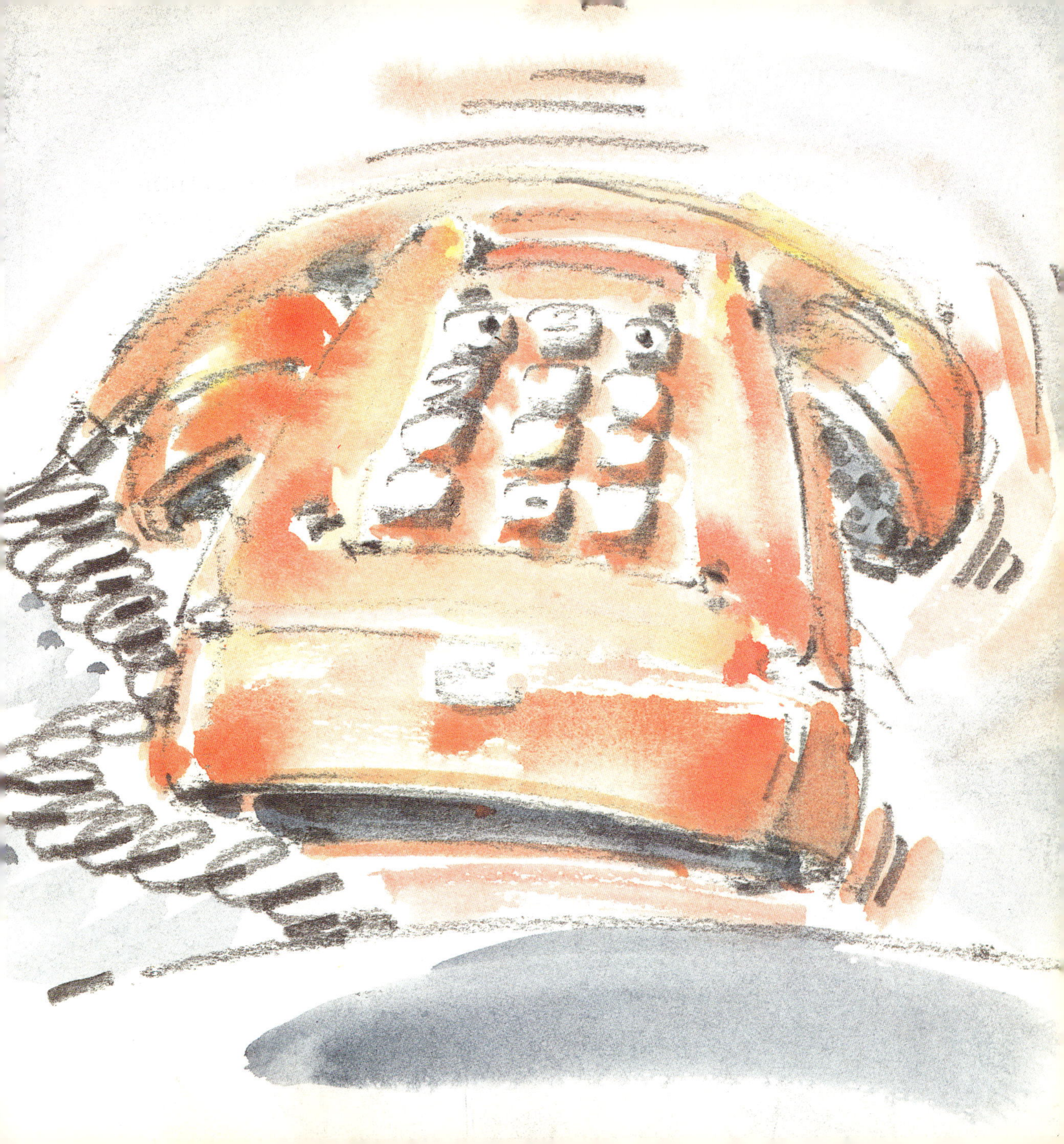

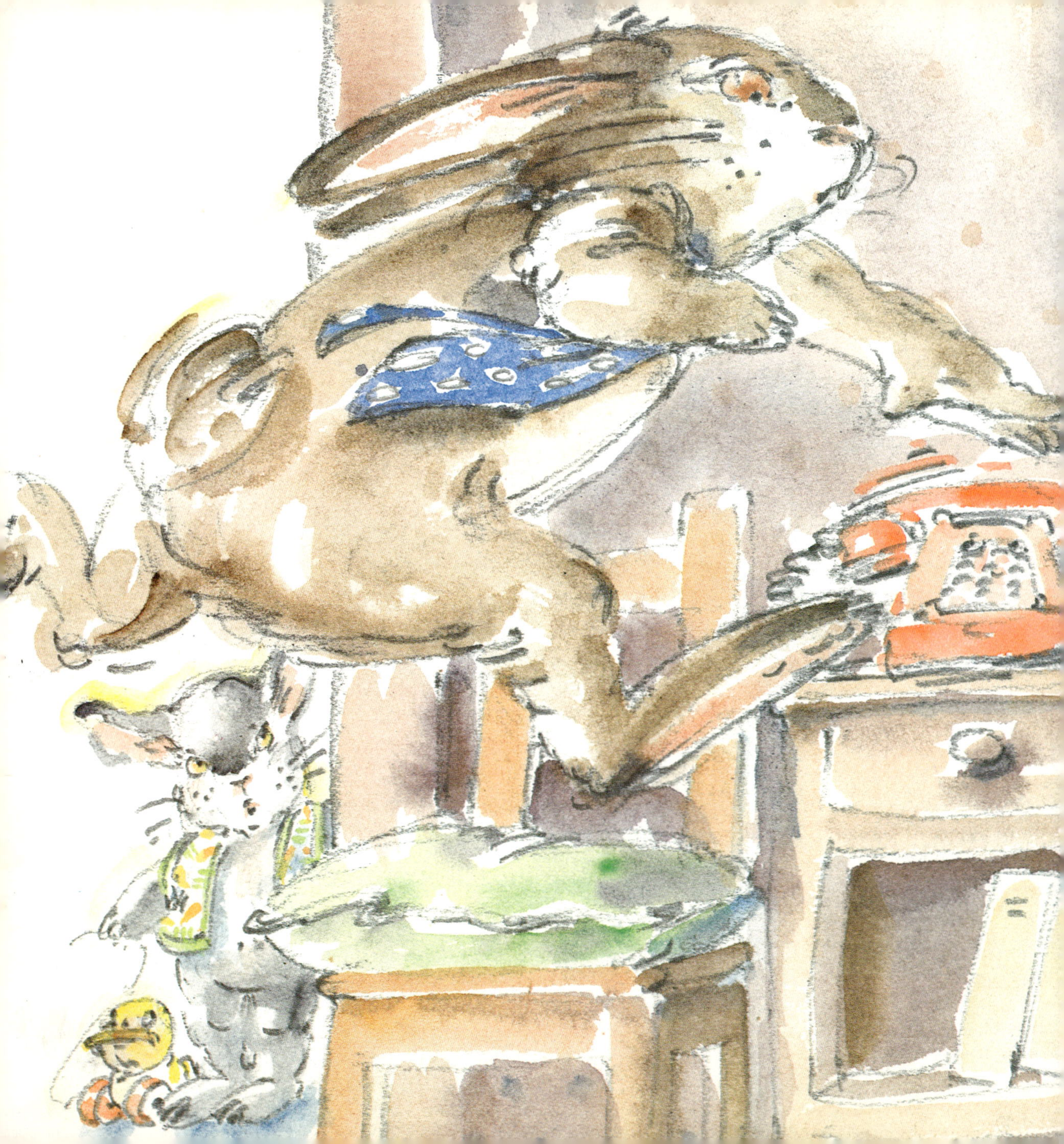

Ils s'arrêtaient alors de parler, ils couraient comme des fous, ils laissaient tout tomber, ils bousculaient les jouets.

On ne pouvait plus rien leur dire, ils répétaient sans arrêt: CHUT! CHUT! Ils en oubliaient même leur petit Lou.

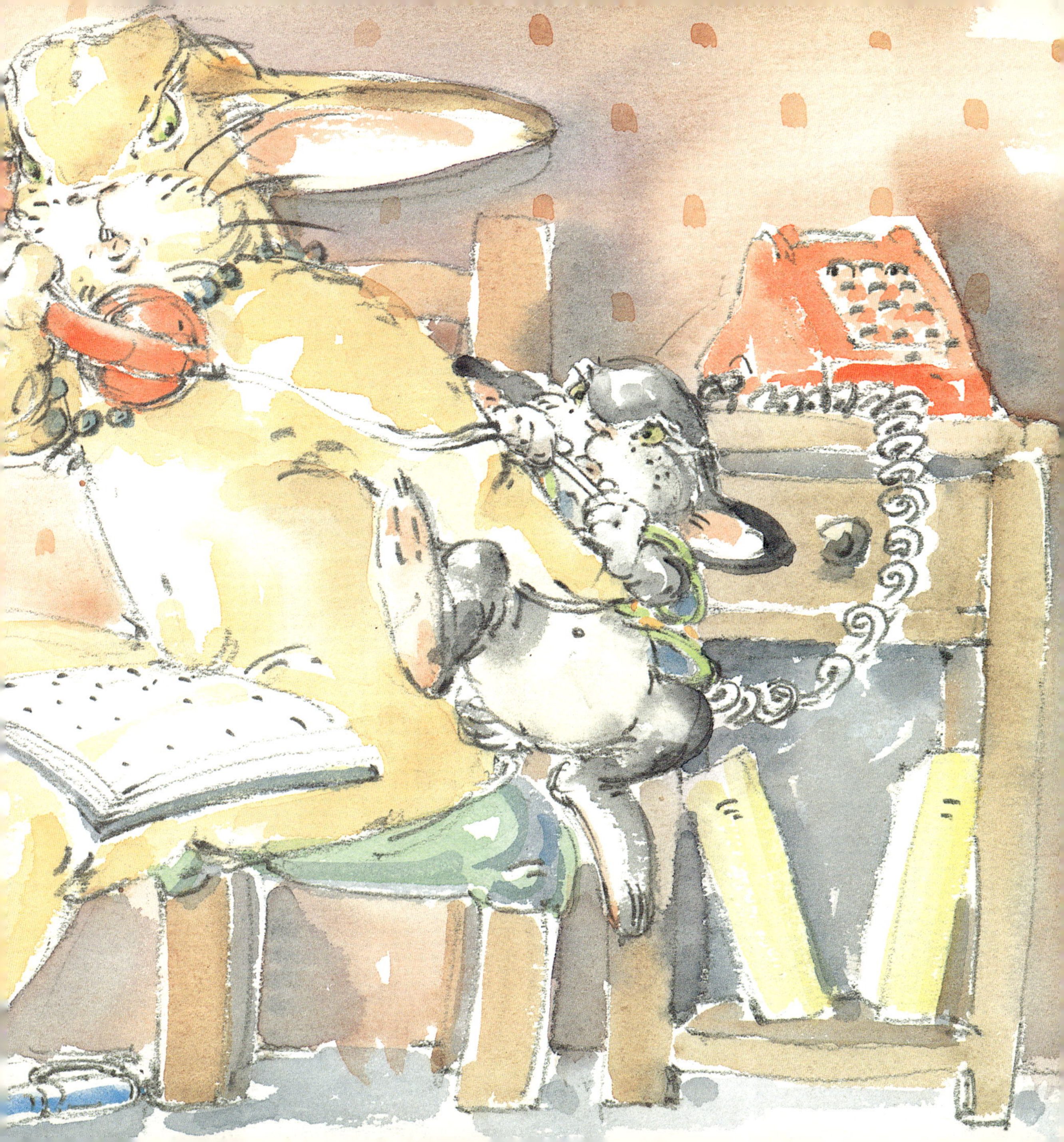

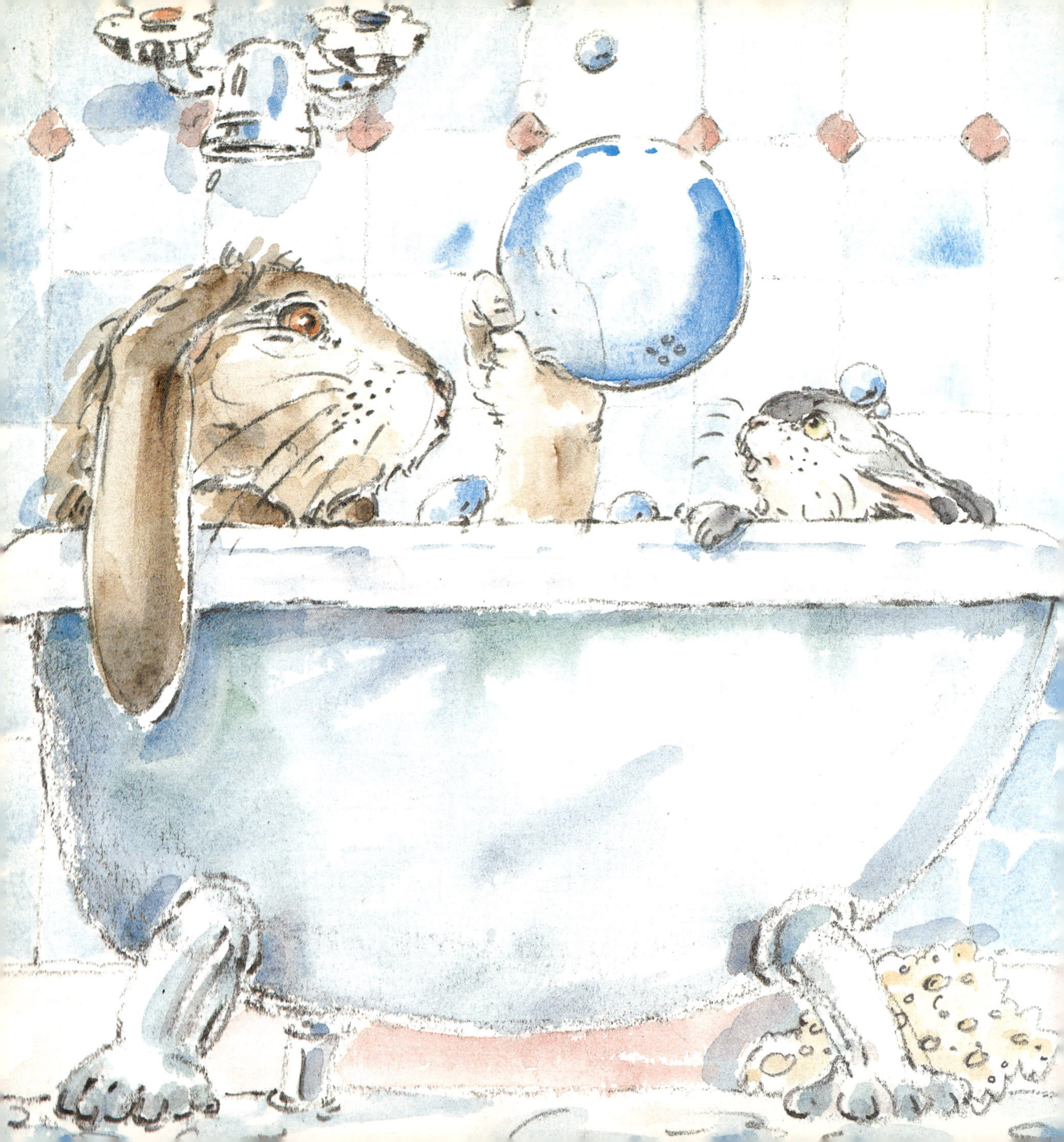

C'est ce qui arriva à son papa, un jour qu'il lui donnait un bain. C'était très amusant! Il lui apprenait à faire des bulles de savon quand... DRING! DRING! Il partit alors en criant: «Ne bouge pas, mon chéri, j'en ai pour une minute!» Mais quand il revint l'eau du bain était toute froide, et Lou avait attrapé un gros rhume.

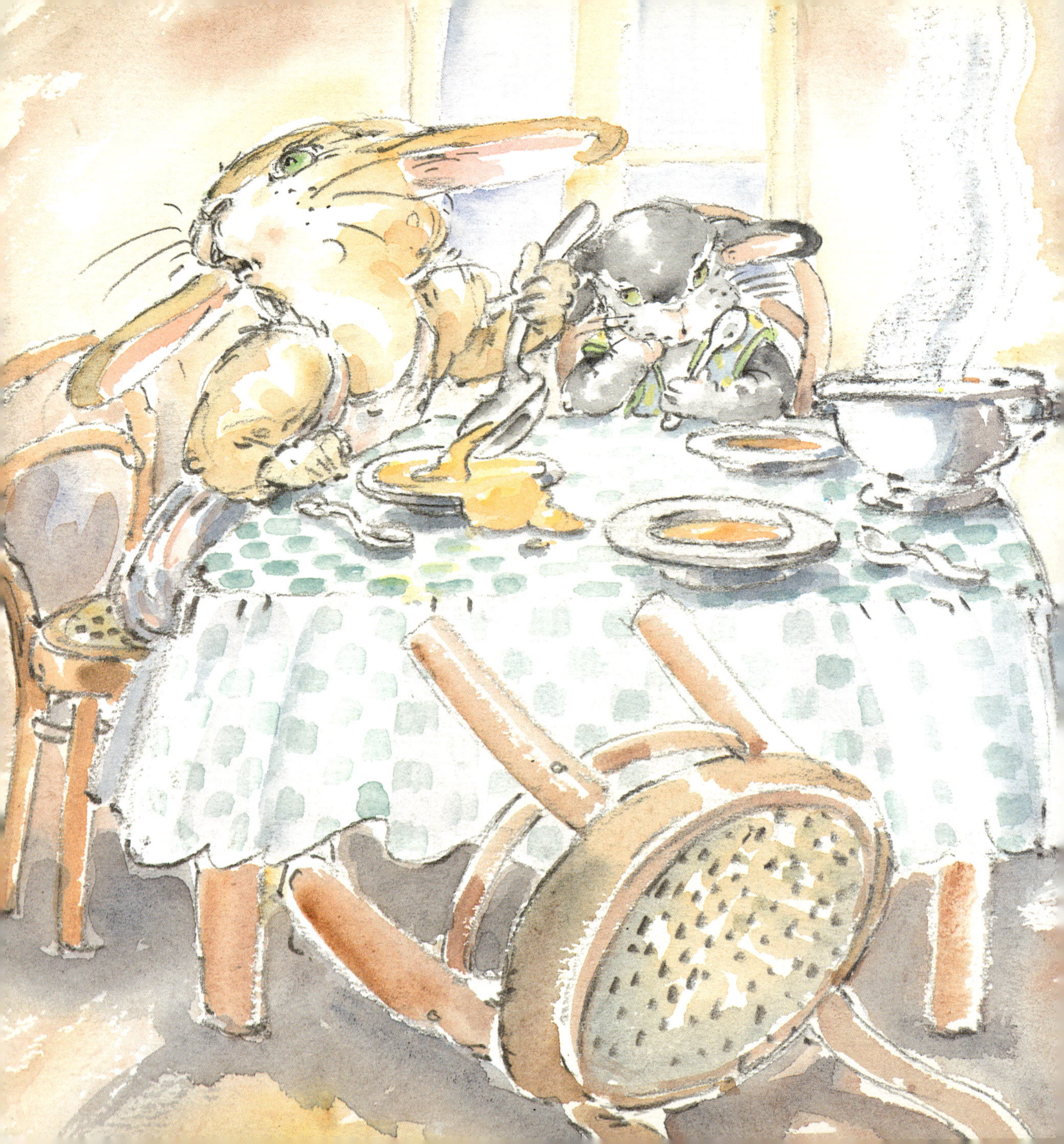

Les parents de Lou, qui étaient très polis, savaient bien qu'il ne faut pas quitter la table avant que tout le monde ait fini de manger. Eh bien, si le Téléphone sonnait, elle ou lui se levait précipitamment, et laissait tout en plan.

Alors la belle tarte était brûlée, et Lou n'avait plus faim.

La maman de Lou connaissait de magnifiques histoires. Elle en inventait même. Elle les racontait si bien ! Elle changeait de voix pour chaque personnage. Lou aimait tellement se pelotonner dans ses bras pour l'écouter. Il avait chaud, il était heureux.

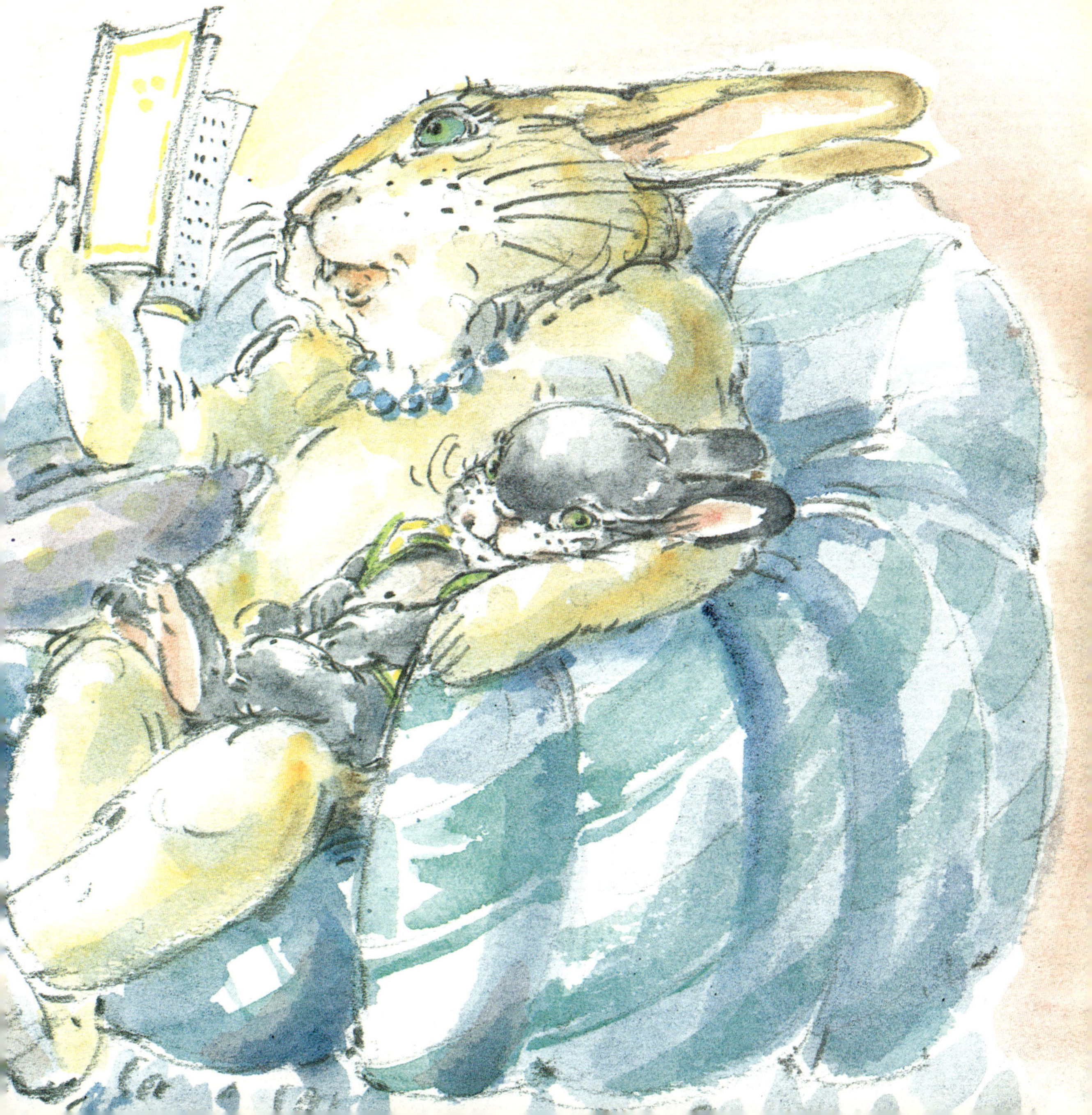

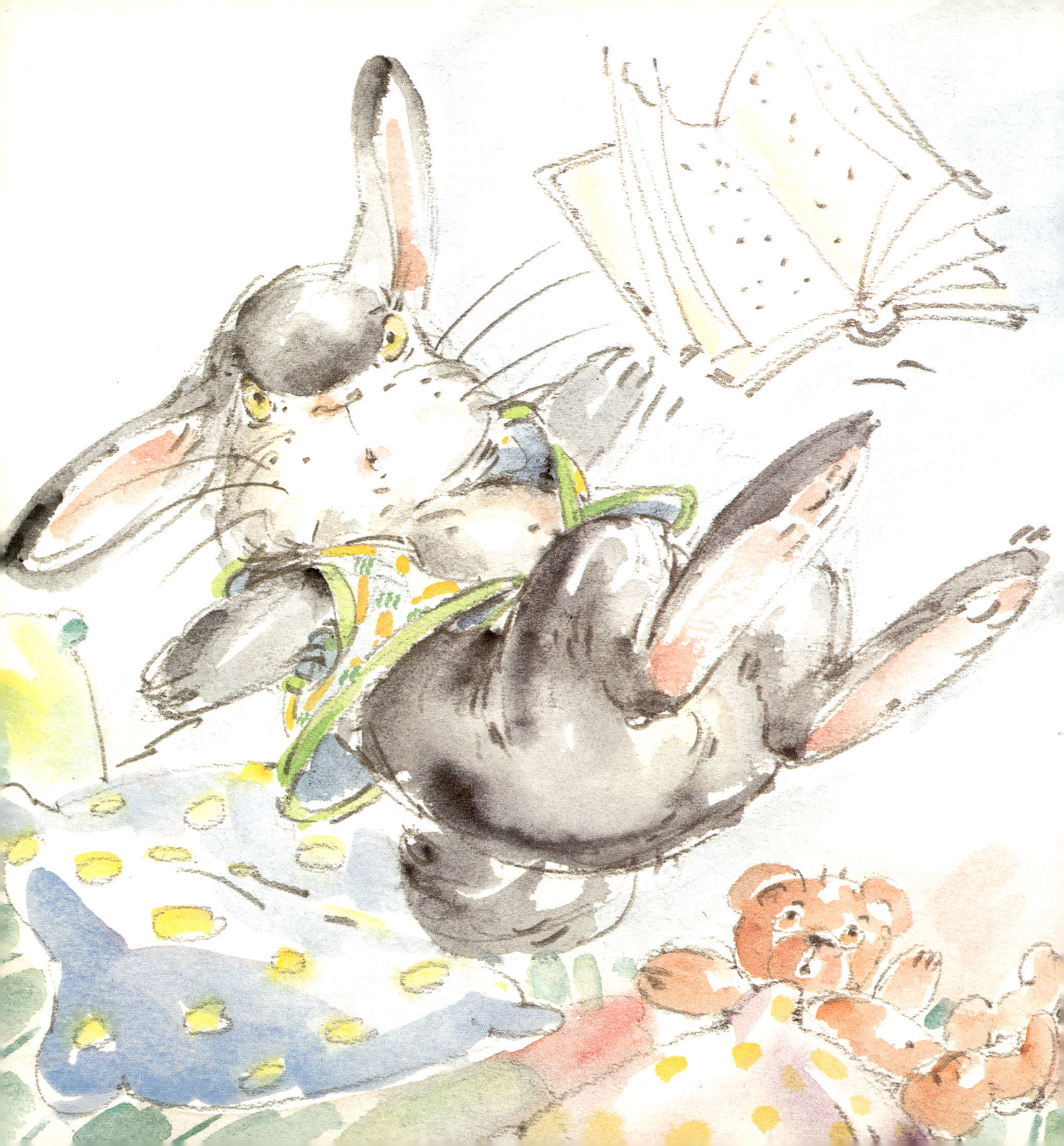

Mais un soir, juste avant que Lou n'aille se coucher, alors qu'elle lui racontait l'aventure d'Aladin et de sa lampe magique... DRING! DRING! Vlan! Elle le posa sur le canapé comme un paquet. Et quand elle eut enfin fini de parler au Téléphone, il était trop tard pour continuer l'histoire, et Lou dut se mettre au lit sans en connaître la fin.

DRING! DRING! Il fallait aussi baisser le son de la télé, même s'il y passait un dessin animé. Et l'on n'y comprenait plus rien.

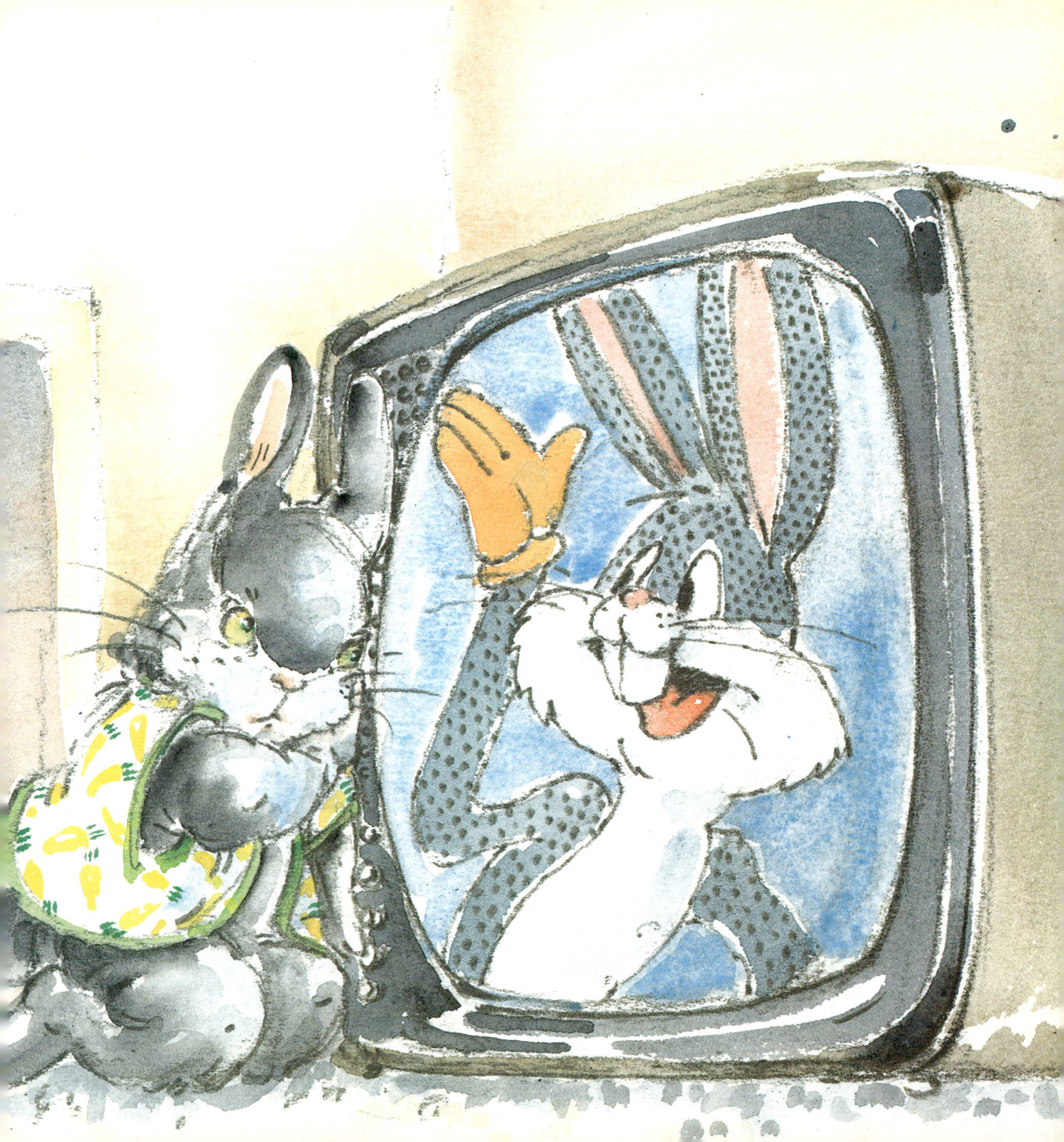

Un dimanche matin, Lou construisait un immense pont dans le salon. Son papa vint l'aider. Lou aimait bien jouer avec lui, parce qu'il avait de bonnes idées.

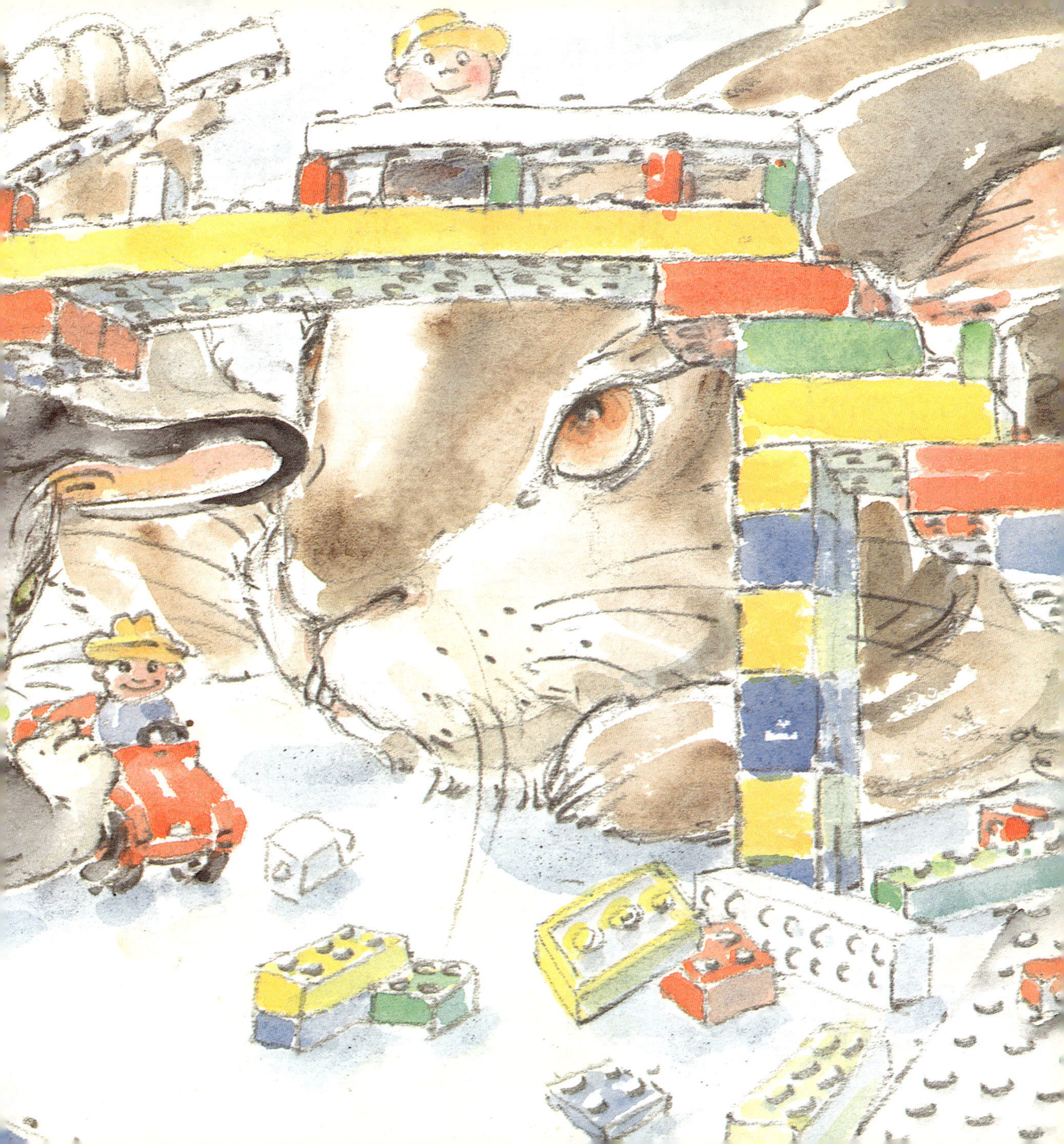

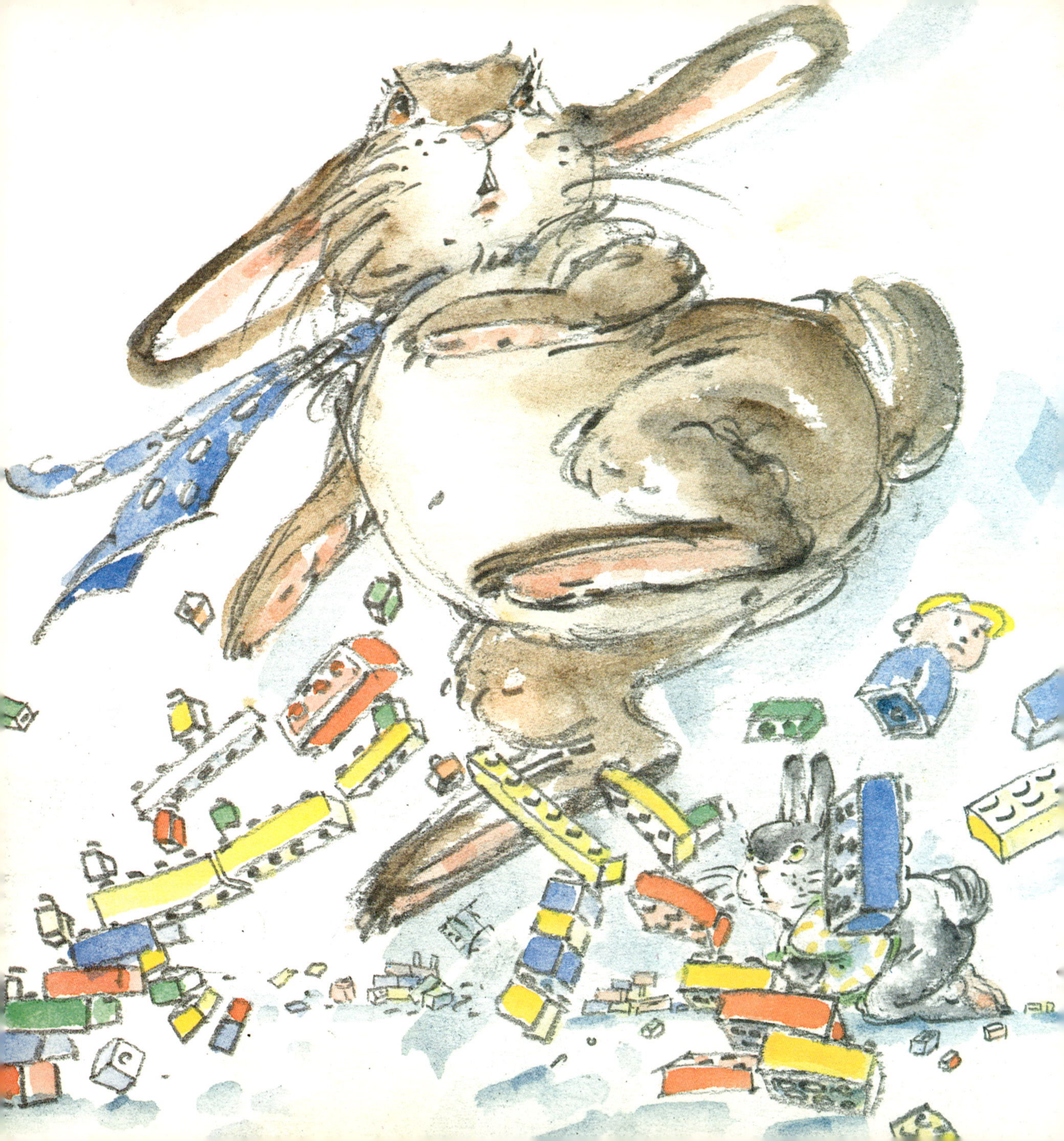

Mais... DRING! DRING! Il se leva si vite que tout s'écroula.

Quand il revint, il était de si mauvaise humeur qu'il gronda Lou: «Mais range tes affaires, tu laisses toujours tout traîner!» C'était injuste! Lou pleura beaucoup.

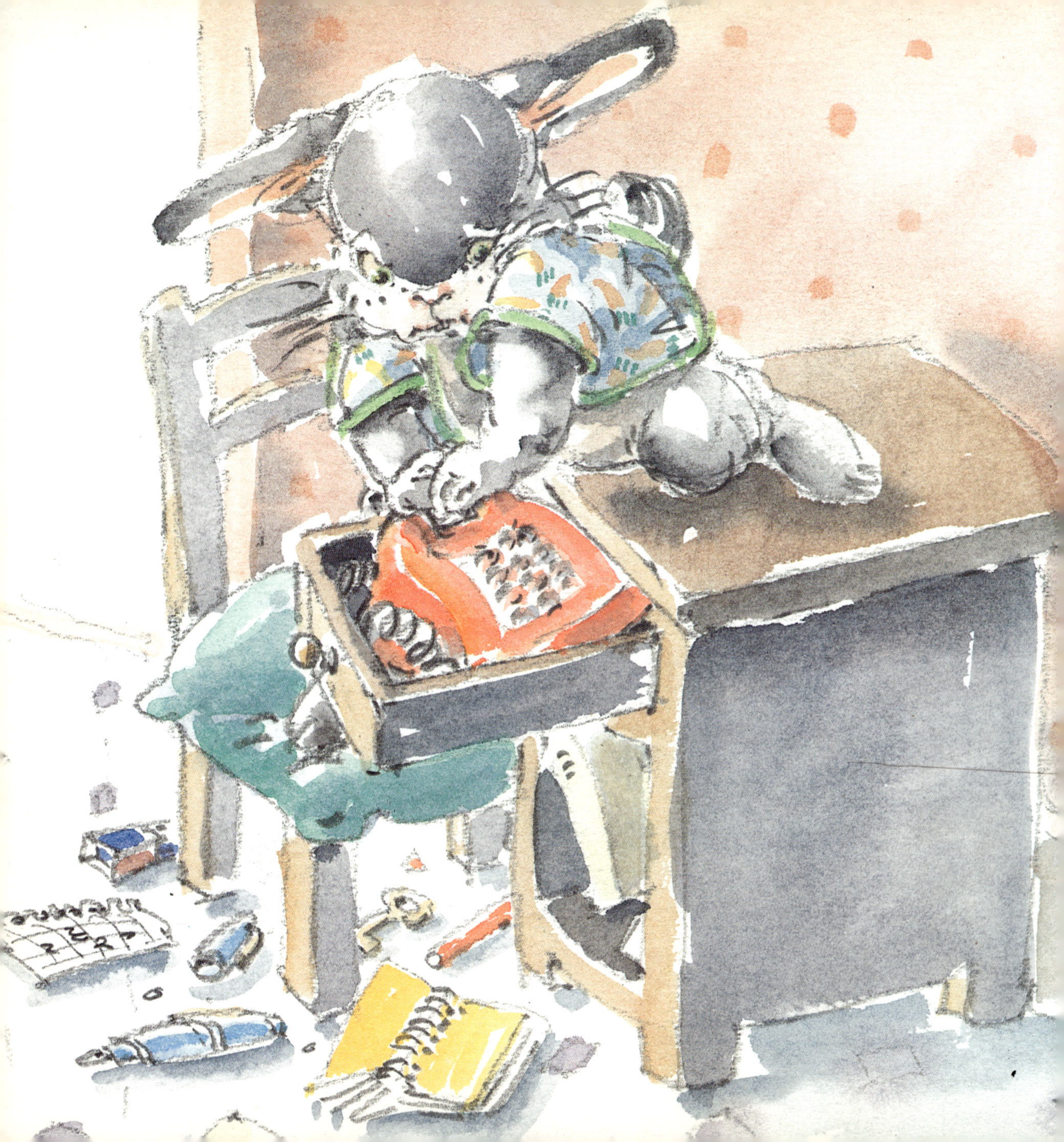

Souvent, Lou se demandait comment faire taire cet horrible Téléphone. Il essaya bien de le jeter par terre, mais il ne se cassa pas: il continua à sonner comme si de rien n'était.

Et si je l'étouffais? pensa Lou. Avec un coussin, ce n'était pas possible: ses parents s'en apercevraient immédiatement. Que faire?

L'enfermer dans un tiroir de la petite table? Mais le Téléphone était trop gros et le tiroir trop petit. Lou eut beau pousser de toutes ses forces: c'était impossible.

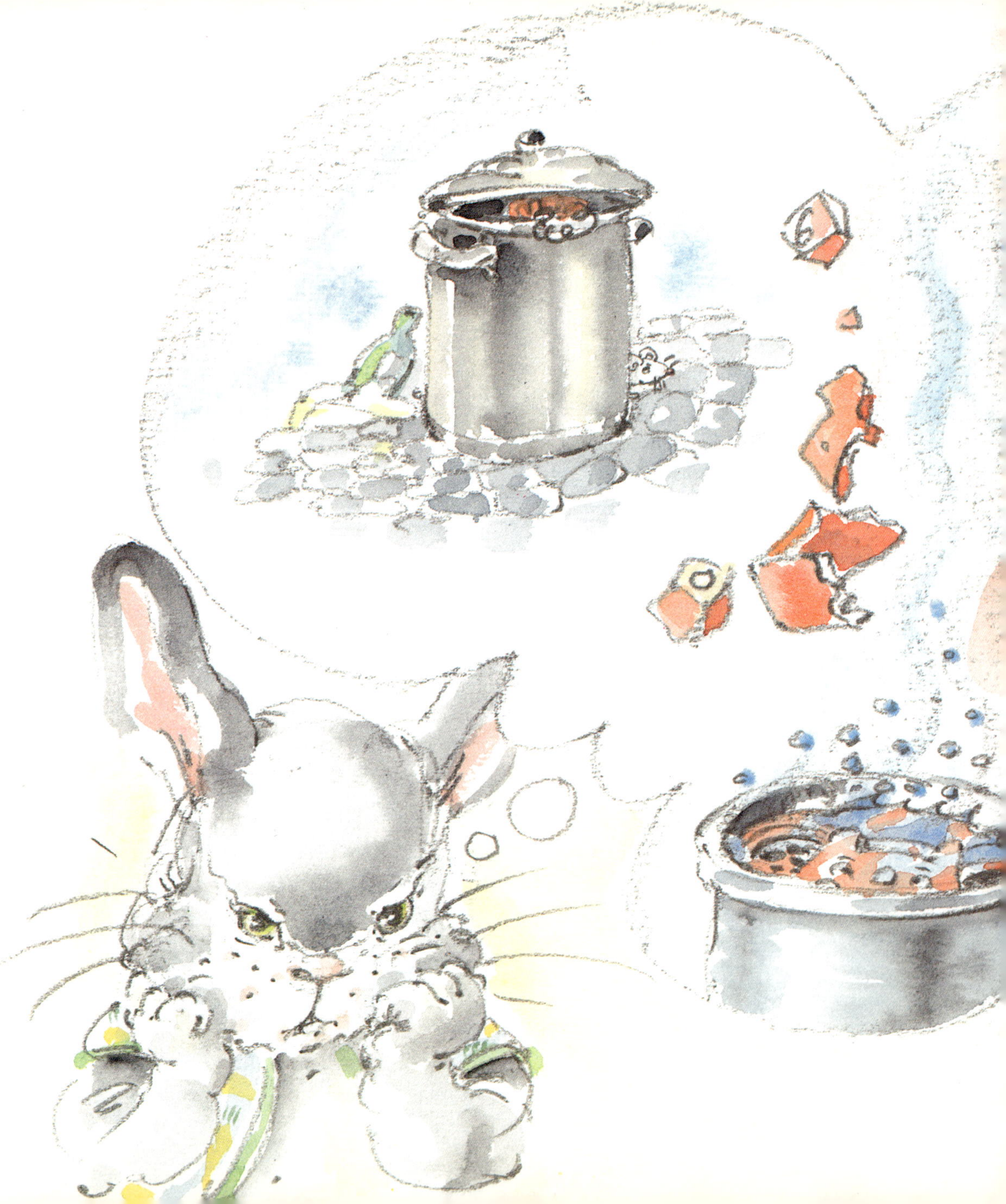

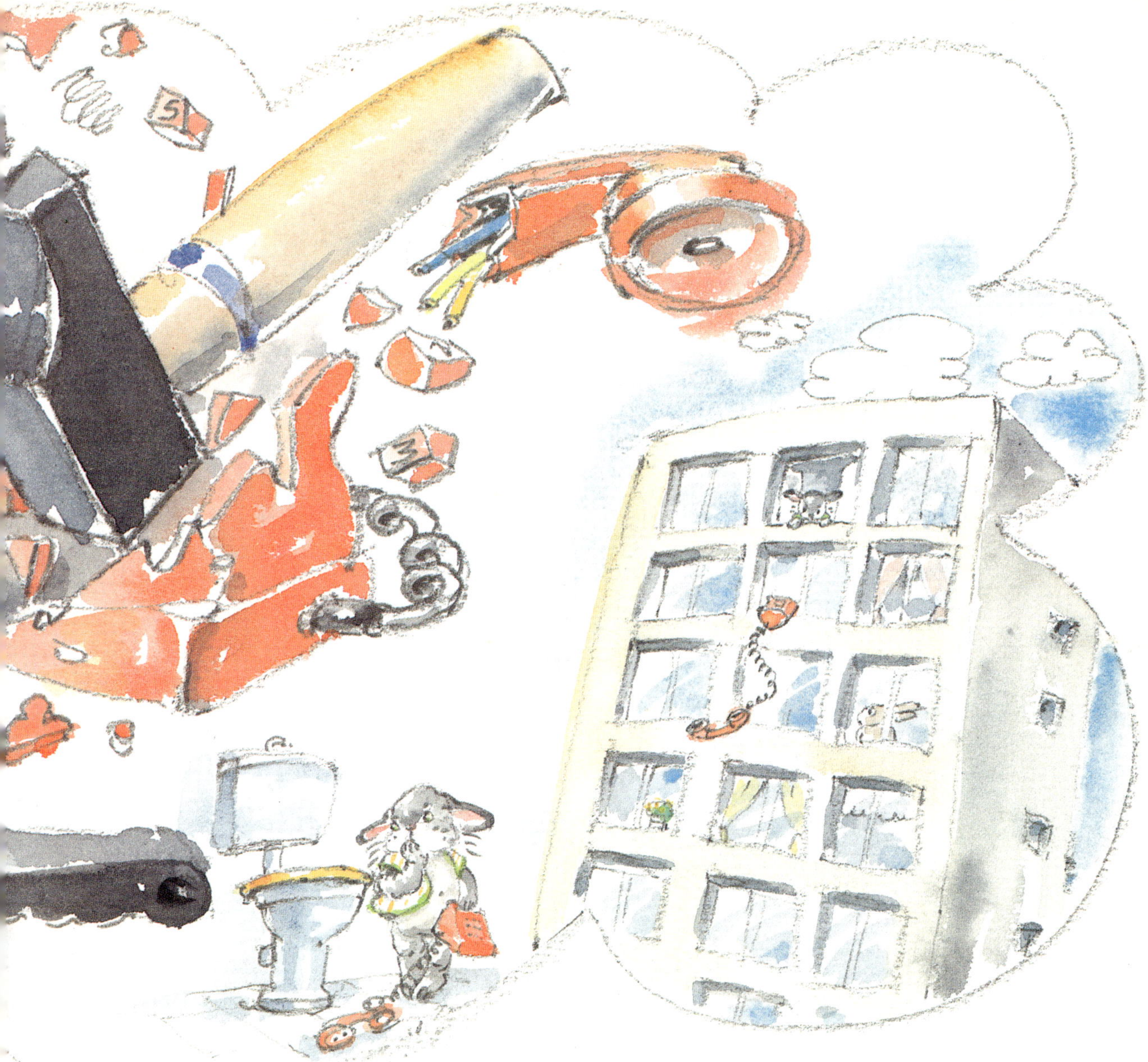

Il ne restait qu'une seule solution: enfermer la plus petite partie de l'appareil, celle qu'on tient dans la main. Lou était content: «Je te déteste, Téléphone. Mon papa et ma maman sont à moi».

Et ce soir-là, aucun DRING! DRING! ne vint gâcher la douce soirée qu'il passa avec ses parents. Sa maman était contente aussi, puisqu'elle dit: «Qu'on est bien, quand on n'est pas dérangé par le Téléphone!»

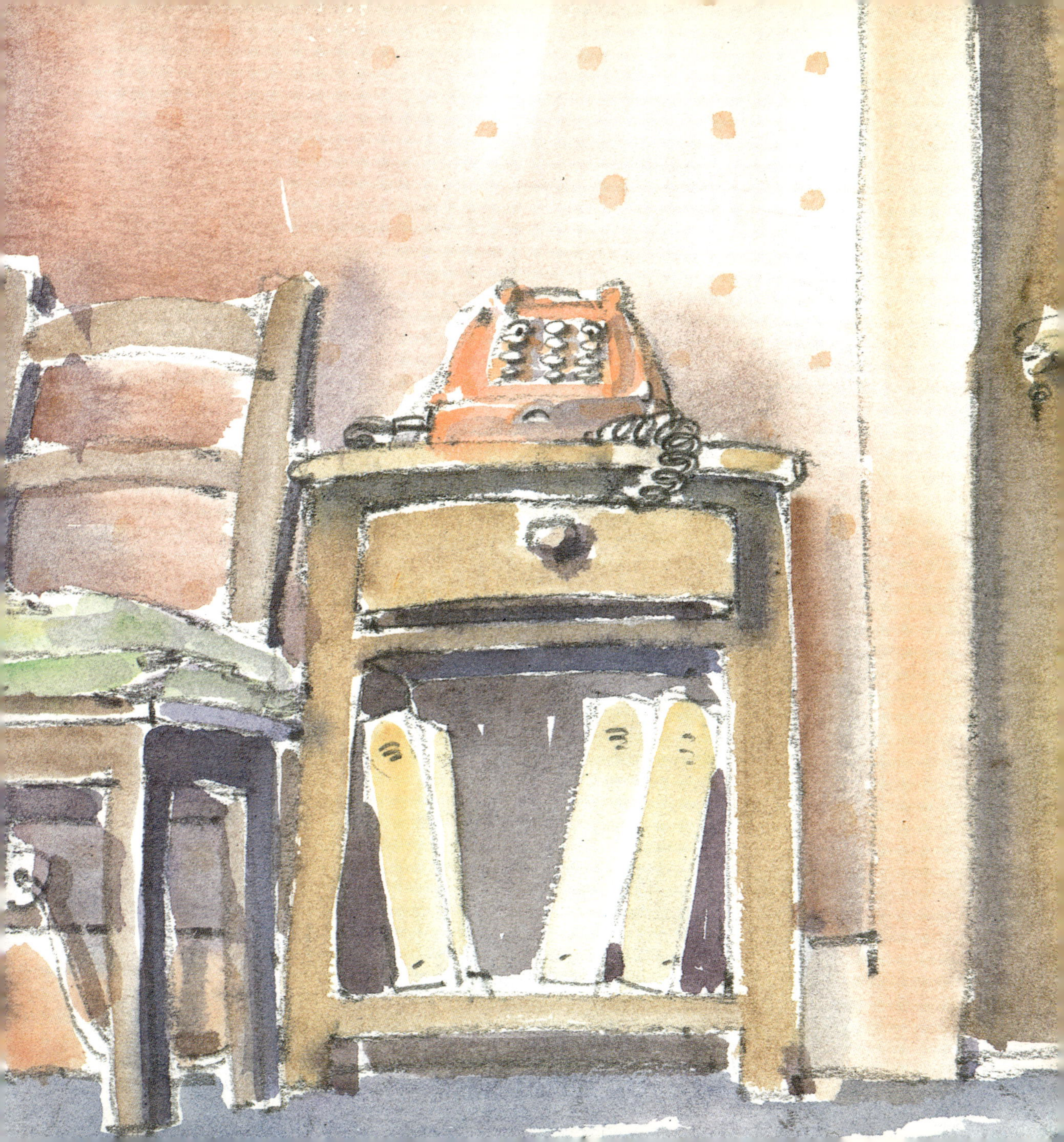

Lou ne fut jamais grondé pour le petit tour qu'il avait joué à son ennemi. Mais depuis ce jour-là, quand ses parents sont avec lui, ils laissent la petite machine sonner tant et plus. Et parfois Lou court répondre de lui-même, surtout les jours de congé: si c'était Antoine ou Elodie qui l'appelait?

Where Is the Milk?

Written by Sandra Iversen   Illustrated by Julie McCormack

Matt and Jim
went to the store
for Dad.
They went
to get the milk.

3

The big boys
were playing games.
"We will watch them play,"
said Jim.

5

The big boys
played and played.
Matt and Jim
watched and watched.

7

"Time to go home,"
said the big boys.
"Time to go home,"
said Matt and Jim.

9

Matt and Jim went home.
"Where is the milk?"
said Dad.
"You went to the store
for the milk."

11

"Oh, no!" said Matt.
"Oh, no!" said Jim.
"We forgot the milk!"

I Love My Family

Written by Lila Pakinga

Illustrated by Marjorie Scott

I love my grandpa.

I love my grandma.

I love my mother.

I love my father.

I love my sister.

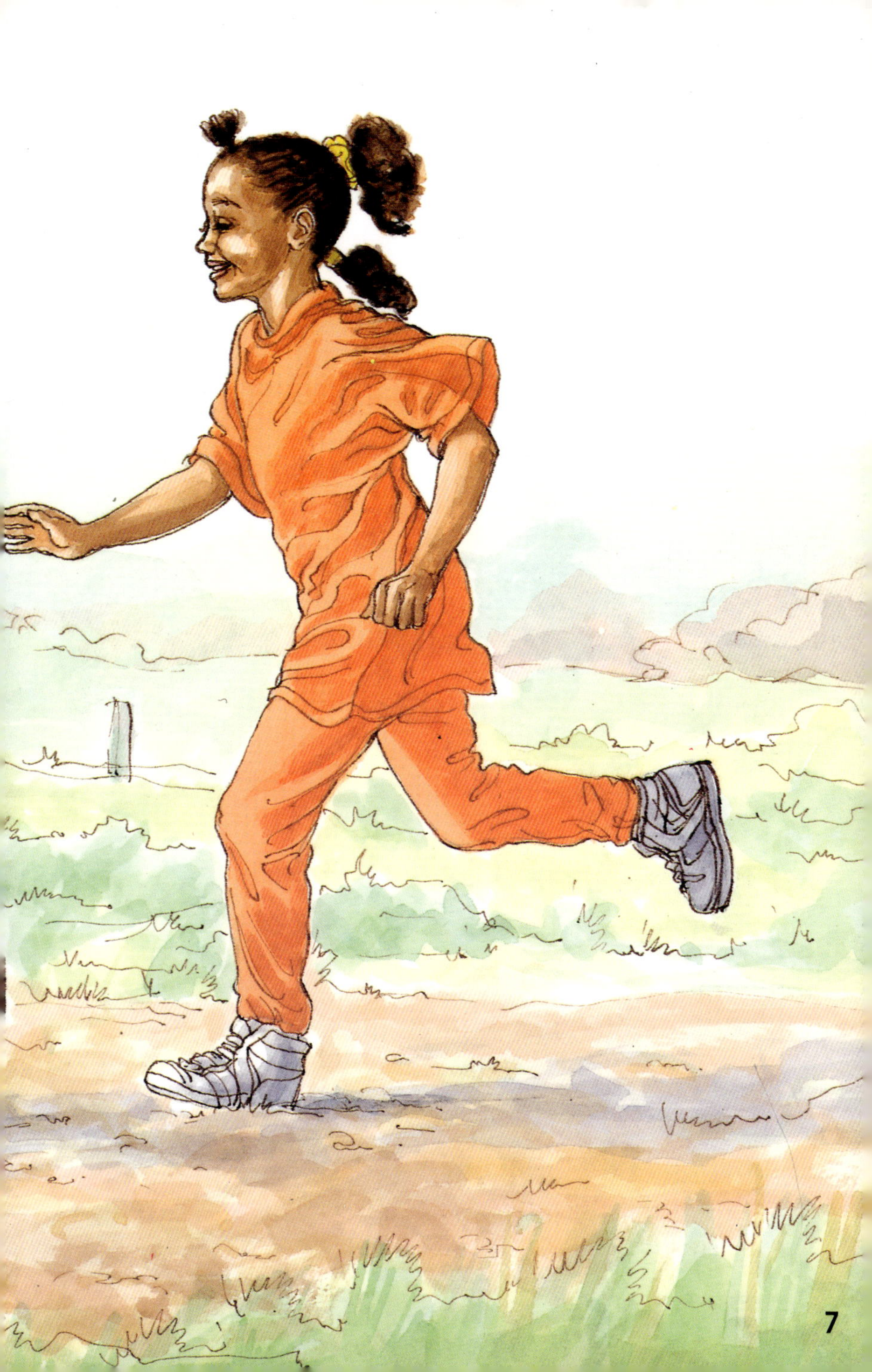

I love my brother.

I love my baby brother.

I love my whole family.

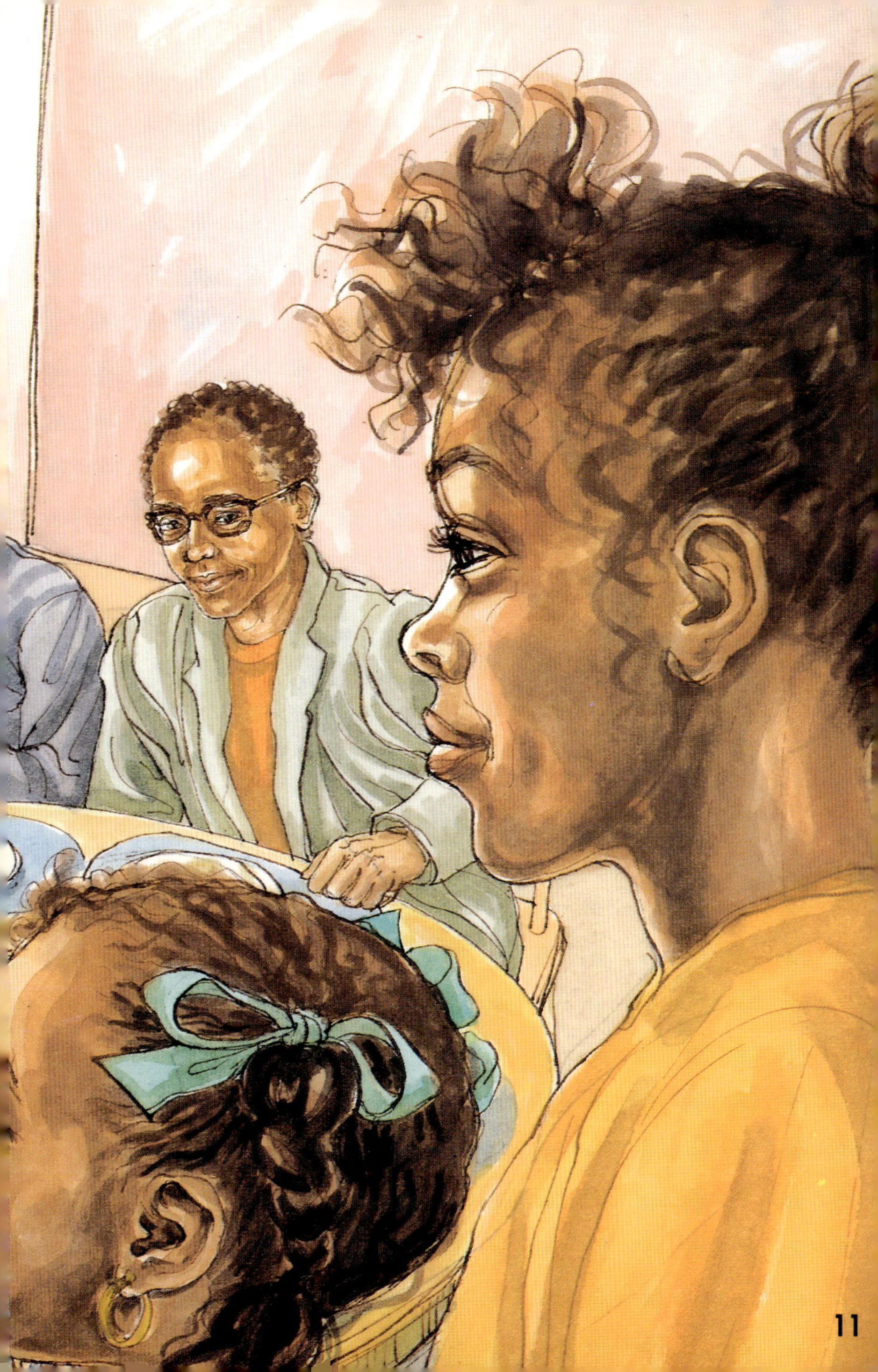

They love me, too.